U0064629

劉福春・李怡 主編

民國文學珍稀文獻集成

第一輯

新詩舊集影印叢編　第19冊

【俞平伯卷】

西還

上海：亞東圖書館 1924 年 4 月版

俞平伯　著

花木蘭文化出版社

國家圖書館出版品預行編目資料

西還／俞平伯　著 -- 初版 -- 新北市：花木蘭文化出版社，2016
〔民 105〕
206 面；19×26 公分
(民國文學珍稀文獻集成・第一輯・新詩舊集影印叢編　第 19 冊)
ISBN：978-986-404-622-5（套書精裝）
831.8　　105002931

民國文學珍稀文獻集成・第一輯・新詩舊集影印叢編（1-50 冊）
第 19 冊

西還

著　　者　俞平伯
主　　編　劉福春、李怡
企　　劃　首都師範大學中國詩歌研究中心
　　　　　北京師範大學民國歷史文化與文學研究中心
　　　　　（臺灣）政治大學民國歷史文化與文學研究中心
總 編 輯　杜潔祥
副總編輯　楊嘉樂
編　　輯　許郁翎
出　　版　花木蘭文化出版社
社　　長　高小娟
聯絡地址　235 新北市中和區中安街七二號十三樓
　　　　　電話：02-2923-1455／傳眞：02-2923-1452
網　　址　http://www.huamulan.tw 信箱 hml 810518@gmail.com
印　　刷　普羅文化出版廣告事業
初　　版　2016 年 4 月
定　　價　第一輯 1-50 冊（精裝）新台幣 120,000 元

西還

俞平伯 著

亞東圖書館（上海）一九二四年四月出版。原書橫三十二開。

西還

江南人打渡頭橈，

海上客歸雲際路。

——玉樓春寄璧瓊——

西還目錄

夜雨之輯

別後之輯

附錄

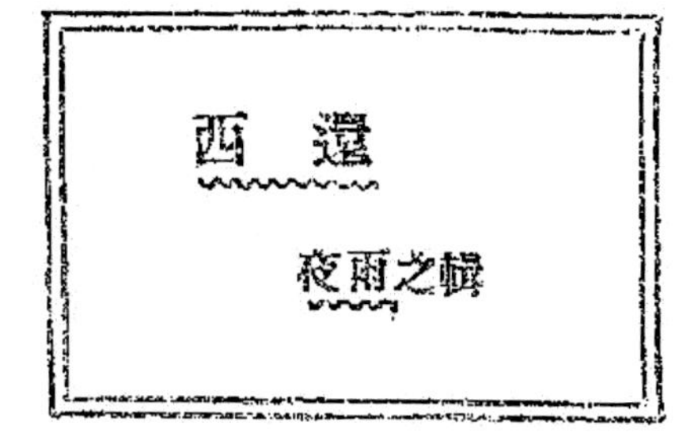

西　還

夜雨之輯

夜雨 九首

（一）

中夜時，雨底繁響，
靜的愈靜，
繁的愈繁了。

（二）

無論是什麼，
總很像人生底照相；
但我卻說不出什麼來。

（三）

的確是生了，
所知的只這一點：：
尤知道的，我的確是生了。

（四）

「我怎能聰明呢？
非把孩子們弄傻了不可！」
他常常做個聰明人，
在傻孩子們底中間。

（五）

梭繩縛着的花枝，
幾時會笑？幾時會惱？
橫斜——我慰安了；
憔悴——我也慰安了。
但使我能夠如何呢？
只憔悴於繩之下，
不笑也不惱。

（六）

珠圓的紋，
晶澈的光，

甜甘的味；

流他底，好啊！

怎奈頻閃底旋渦向其間轉啊」，

生底薄影向其間散啊！

去了後的聲音：

「不該愛慕這個嗎？

眞眞灰色的我啊！」

（七）

雨露灌溉那根苗，

花開了，慘紅的。

不怨有愁根，

反怨有含愁的雨露。

（八）

經的白燭，

殘照依依地，想留幾番搖曳，

因流淚底初凝，

便將開始了人間底遙夜。

（九）

也願意愛夜底中，

也願意愛曉底破，

也願意愛黃金的薄暮，

只憐惜着那柔弱，傲慢的晌午。

一九二三，四，二。

一生所遇着的

（一）

一生在途中；一天，碰着一個穿白衣的不相識
者，衣上隱綽綽地有許多文字，却也是不可
識的。
『晨安！』不識者恭恭敬敬地說。
他却沒有禮貌的躲開了。『可怕的陌生人啊！』
『不相識的，怕什麼呢？』
帶怯的聲音，『因為你我底不相識，所以就有
些怕了。』
『誰告訴你這個呢？可憐的！』
『我自己底揣想罷了。』
『那麼，現在想明白了，請以後不必如此罷。』

（二）

經過須臾的默然，不識者又接着：『人們都說我常常留下悲哀底痕跡，果然嗎？』

『是的，這或者是我底疑懼一個辨解了。』

『未必罷！都怕我？』

『正是！』

『我以為他們怕的是你呢！況且他們實在也應該如此。』

『啊！啊！』生詫異着了。

『你是悲哀底原泉，我是悲哀底海啊！到原泉竭時，海一朝也枯乾了。讓我來收拾你底殘棋局，給最後的安慰於人間喲！』

『安慰？』生更詫異了。

『自從你來歸於人間之後，他們便有所「失」了，悵惘地有所「失」了。謝謝你！空虛的安慰！』

『為什麼是「有所」失呢？怎麼會覺着空虛
呢？怎樣有了他們呢？何必再客氣，有你罷
了！』

生似活活的流水遠了，
不識着已不見了。
未必默然罷，却終於默然；
未必真不相識，却終於不相識哩！

二，七。

嗚咽

在山的淸泉，一旦出了山。
聽聽流波底嗚咽，訴出的秘密。
我聽見的是：
『我們從今願意了。』
但爲什麽要說「從今」呢？
這眞是一個大大的疑問，
或者卽是流波之所以嗚咽。

努力

解不盡的網啊！
我能把你怎樣呢？
有了，解啊！

在網間的，應從不可解裏去努力；
何況，還有斷網底痕跡呢！
一重又一重的，
雖然是解不盡的網啊！

三，十五。

盛年底歡容

零落只是盛年底愛慮。；
到被風雨葬殘時，
隨流塵喲，隨流水喲，隨變化的一切喲！
「送你罷，勿回頭啊！
送你罷，飄泊着罷！
願你倘見去了。；
願你隨他們去了。；
願遠擲取你底痛去，
不留下烟也似的微痕了！」
待蠟和馨香，參差飛了，
逐偶很飄融於淺夢；
還是所謂盛年底歡容。

可惜已迢迢遠呢！
連那烟也似的微痕，
都飄融於淺夢。

三，二十六。

樂譜中之一行

昨夜夢在斗室間，有一人歌詩，一人奏樂。樂器式甚奇，似仰弓形，有橫絡之縷絲無數。奏時以手引撥之，音聲悽清柔婉並絕，每歌聲愈細，則指撥愈繁；至樂將闋時，歌聲下沈幾不可辨，而弦響猶柔曼無極，蕩魄迴情，如漾游絲於空際。奏者顧笑曰：『如何？』

座前置數歌譜，紙色潔白，只憶得一譜之末尾倒數第三行，其詞如詩中所引。

黃狐拖着長大尾，
白兎翹着一雙脚，
彳亍的來了，
又彳亍的去了。

『獵旗本是國旗啊！』

老樹身上纏着黃黑的大蛇，
斑豹清流前洗牠底血牙；
鏡中的影，
豹底血牙底影喲！
『獵旗本是國旗啊！』

中有森秀的老林，
中有蒼莽的大野，
崔巍的山，浩蕩的川；
黃海之西，崑崙東，
是誰們底故居呢？
讓狐兎披猖，蛇蟠，豹走。
『獵旗本是國旗啊！』

不見五色旗，
只見一抹的猩紅。
染的是獸血嗎？
是我們底血嗎？
又何必問呢！
「獵旗本是國旗啊！」

只有紅可愛喲，
只有紅可愛喲！
血染成的喲！
等着罷——
一縷的紅，漸漸一半紅了，
將全紅了。
我們唱着去盼着。

「獵旗本是國旗啊！」

崑崙之東，黃海西，
遷了我們底故居。
江流滔滔，河流浩浩，
月夜淘洗那無盡碧血底腥臊。
一些不留罷！
留下一些罷！
只有紅可愛喲！

山桃未謝，杜鵑花兒開；
馬纓，薔薇，先後的爛熳；
夏有沈醉的荷，
秋有留戀的楓。
花底來，紅又紅；

水底流，東復東；
將與之無窮，
願將與之無窮……

從今不愛唱這個了，
從今不愛聽這個了。
生澀了我們底商調：
「獵旗本是國旗啊！」

猶有悽然臨去的音波，
裊裊地到未來底心琴前。
他們笑着地去聽，
但是終於嗚咽了！
「獵旗本是國旗啊……」

三，一九。

銀痕

高下的碧玉中間，
有了白銀的泡沫，
顯是風底痕跡了。

微漏喲，微波喲，
淺是銀色的喲！

三，二二，杭州。

味 二首

（一）

苦黃連的心，
輕淺地嘗牠呀，
是一碗蜜糖水。

（二）

從羣芳心田裏釀來的，
只有淺碧的酒一杯，
乳白的蜜也一杯。

乾這一杯，
只一杯罷，
一杯淺淺的罷！
皺皺眉，哭了：

這才是咏晃呢！
酸的白蜜戀人咽了，
苦的綠酒好朋友喝了。

凡蜜是一例酸的，
凡酒是一例苦的；
兩人生初上旅路，被使飲底時光，
只喝了這麼淺淺的兩杯。
以外的，澆在花底根荄上，
又洗了鳥底翅膀。
人生惟有妬和羨，
時時發他歌咏底微音。

四，十二，蘇州。

隔膜書後

無盡藏的泉源，
洶湧奔放地，委宛曲折地，
從人間底心裏，
還流向人間底心裏去。

無盡藏的泉源裏底，
雖微塵似的一滴，
也是光，熱，馨香底結晶，
是潛隱的悲哀和歡悅。

他下筆時，定把一串的淚珠和墨揮寫了。
不然，這些是那裏來的？
且還像暴雨樣的這麼多，

使我們讚時底陶醉。

不辨胸中，是悲是悅？
不辨眼底，是冷是熱？

他不惜自己底淚，惜所以使他流淚的；
我們也願當不惜我們底淚，只惜所以使他，我
　們時時流淚的。

如全部的淚，返流向人間底心裏，
一旦停止了瀉浮，
凝成秋波的明媚。

這或使作者無恨於這書，
即使同時有讚頌和誹笑的聲音。

四，一八。

兒語 四首

(一)

老鴰！

老鴰，飛。

怎麼不在屋子裏？

這個，這個晴！

(二)

小葫蘆兒呀！

小甜瓜兒呀！

甜瓜兒真是甜極了，

小葫蘆裏有什麼？

小葫蘆裏有什麼？

(三)

黃胡蝶，小黃花，

她兩個是姊妹，
攙着手來了。

（四）

沒有名字的小黃花，——
不對！
叫小黃花喲！

四，二一。

晚風

晚風在湖上，
無端吹動灰絮的雲團；
又送來一縷笛聲，幾聲弦索。
一個宛轉地話到清愁，
一個掩抑地訴來幽怨。
這一段的淒涼對語，
暮雲聽了，
便沉沉的去嵯峨着。
即有倚在闌干角的，
也只呆呆的倚啊！

四，二三。

歌聲二首

(一)

歌聲發時，
在淚底網中；
在淚底網外；
在躑躅徘徊下；
在憂慮悵惘間；
在夢已闌，醉已醒；
也在夢初酣，醉初沉底時候；
在悲歡交相擁抱底情懷裏；
又在憤怒底瀑流，銷沉了之後。

(二)

微笑的歌聲，當他是幽咽的哭罷！——

四，二四，西湖。

夢

A

夜夢得讀一文，大意說：『同人願口口似的低低的飛近你們。（意是指向民間去）……落了，紅了，那宜紅的南方喲！……』以外便都忘了。即把這個意思做一詩。因為是夢中底如夢的願望，故以『夢』名篇。

（一）

蜻蜓飛得款款的，
蝴蝶飛得倦倦的，
願舉世假近了人間。
說：『許聽見你們底呼聲嗎？
我們底呼聲能被聽見嗎？』

（二）

落時，
豔豔霞底初生時，
那宜紅的南方夠！

四，四

B

四月二十八得振鐸來信言：『我們底淚流了，但人間是頑石，是美的悲慘的雕刻呀！』是夜夢得，似俯首在不識者底墓前，慨然高歌紅樓夢祭晴雯文中語『天何如是之蒼蒼兮？……地何如是之茫茫兮？』熱痛的淚一時傾瀉，浪浪然不可止。醒後猶有餘哀，却不知其所從來。豈因人間底冷酷，故淚改流向溫馨的夢中乎？作此詩解之，并寄振鐸兄。

四，三十。

驟雨打上荷葉的響，
赤鐵烙上皮膚的熱。
我嗎？低頭在不相識的，她底墓前，白石的墓
　台前。
慨慷的，歌聲；
愁思的，歌底心。
「天何蒼蒼耶？地何茫茫耶？」
往復迴環的歌和唱喲！
不是孩子們底號，
不是女人們底泣；
只一味的是，只一味的是，
驟雨底響，烙鐵底熱。
泛濫遍了白石的冷墳塋，
却溼不透這一時角的枕衣。

淚影依稀的在夢中留，
淚珠終不忍向夢中去。
「他們雖是冷酷的，
我們不得不爲他們流；
他們若是冷酷的，
我們更得爲他們流；
因爲他們底冷酷，
所以我們才這樣無窮無盡的長流啊！」

如環的

『今夜准演「衆生底……」，是常常演，
初次出演的名劇。』

…………………………………

『請在裏邊。』看座的先生低低地說。
『反正在那兒都是一樣的。』
『隨您便罷！』
我走着，躑躅地走着；
裏邊？不好！
外邊？…………
那裏來的一聲喝？
『裏邊！』
我終於被迫而坐下了，
且覺得滿場的人，彷彿都是被迫着，寂寂的去坐下了。

……………………………………………………

幕已悠然地下來：

却凝不住長流淚，

自從幕開了之後。

滿場頃刻間，一片白汪汪的海洋了。

燈光繁星也似的，倒映在混茫底裏邊。

切切的戀人底私語，驟然間粗暴起來，如颶風

一般了。

泛濫着的銀色的濤音，和幕後的女人們底清圓

的歌喉相應。

獅子吼的怒鳴，黃鶯兒的曼吟，依依相和的尾

聲，是：

「從今以後，自從今以後：

灰色的衆生，我們底了，

一色灰的了。
灰色的我們，衆生底了，
一色灰的了。
衆生底……
衆生底我，我底衆生喲！
好一個環啊，
好一個如環的啊！
啊！啊……」

五，六，夜半。

方式

生在諸方式間動着，詛咒着。

歌吟聲發了，

詛咒聲寂了，

冷淚融釋了；

是諸方式底打破，生底覺醒，

多們的爛縵呀！

但是——打得破的調子，却是飄飄然的，

方式將永永留着，

即使生已覺醒了。

爲什麼呢？

因爲諸方式中間的一個，而被牠們形成的；
這是所謂，就是所謂人生了！

歌吟只是詛咒底回音；
沸的淚，會冷的；
黃土底罅隙中間驟着人間底玫瑰紅的一笑，
以外我知道什麼！

五，二六，晨，蘇州。

竹簫聲裏的西湖

淡月微雲之下，
西泠橋之上，
女性歌喉底顫盪；
船兒便裝回遡了。
這是何等的自然啊！

螢火蟲起來聽吶，
蝦蟆們起來聽吶，
羣山也起來聽吶。

果然——螢熠熠的流了，
蛙閣閣的鬧了，
一味的亂着了；

只青山是睡着，
只青山是睡着了！
他們久已被擁抱在月姊姊底一雙白臂膊底中間
了！
雖戀歌似的笑，
挽歌似的哭，
只當作迷迷的眠歌聽啊！

歌聲跟着白衣裳散了，
小槳兒載着沉重的心弦一束，悵然地歸去。
如解人意的，
請慢慢的搖啊。
終是要歸去的呢！
寧可搖得慢慢的啊，
假如你是解人意的。

船舷雖是將要偎着，
穿白衣的她們，
面龐是尚黑的。
月光底淡薄，雲氣底朦朧，
知道怨誰好呢！

近了！
碎的是笑語聲，
重的是槳聲，
斷還續的是簫聲，
默着的，我們底聲。
竹簫低到可愛，
圓到可憐了。，

又匆匆蕩過湖心去，
在別的心琴面前陶醉。

打亂了湖上的低籟，
那變藥底罪過呀！

誰送我們到繁燈之下的？
只柏香臺邊知道啊。

六，七，夜。

倦

歌聲已低沈下去，
只有燈火底微黃點子，
來伴湖船中的靜默。

歡會將散時，
大家都說：「要回去了。」
回到那裏去呢？
誰都說不出來，
誰都是飄泊者啊！

六，十三夜。

迷途的鳥底讚頌

（一）

迷惑是與「生」俱生的，
也是「生」底最初或最後的正義了。
人間所有的光，的花，的愛，都依附在這迷惑
　底根苗上。
因爲真到覺醒底降臨，
「生」底好夢便輕雲薄烟似的飛散了。
幸而有「生」的一日，覺醒是永不會來的；
於是光明底圈兒，
才照耀在這霧漫了的大地。
覺醒底臉，永不被我們認識的。
凡高唱覺醒了的朋友們，

都是些兩重迷惑者罷！

實在是的！

我也是哩。

我們是覺醒底陌生人，

所以很高興地去追求那「不可知」了。

就是這樣的了！

我爲人生，不得不讚頌這迷途的鳥。

（二）

花自然地會開的，

水自然地會流的，

鳥自然地會飛鳴的，……

說牠們是願意如此；

果然，誰都不知道是呢，不是？

若說牠們是應該如此，恐怕也無非是盲想罷

了！

人底活動底意義，
啊，即在「不知道」與「盲想」之間。
然而活動底泉源，
却偏和人生相終始。
我爲人生，不得不讚頌這迷途的鳥。

（三）

我被驅迫着去吃食物，
我被驅迫着去尋配偶，
我被驅迫着去作生活底掙扎，
我被驅迫着去求知識，情感底安慰。
我被迫於一切而去追求那一切；
不容我停留，不容我退後，
只催促我走向黑漆漆的一個無底洞，
裏邊充滿着空虛，煩悶與無意義。
這是所謂死底故鄉，

是吾人所將埋葬。

但「生」底流中一個浮漚，知道什麼呢，
只高高地唱人間自由底歌，
歡笑地唱了，悲哀地也唱了；
彷彿唱的是：
『自由的我們本來自由的，
應當到自由的烏托邦裏去。』
他們却不知道人生僅僅是這樣的！
知道原是枉然，何如不知道呢？
我為人生，不得不讚頌這迷途的鳥。

（四）

『人生本來不必求什麼解脫，
因為解脫是一個好好的夢。
無論怎麼樣，

一切的金圖，篩了來只賸得一張薄薄的悲哀的
紙。」

這是覺醒底回音了！

是嗎？

誰能信這兩重以上迷惑者底話，

又誰能不信呢？

我爲人生，不得不讚頌這迷途的鳥。

（五）

「神底永生」，「種族底綿延」，

對於狹小的我有什麼意義？

「死了，完了！」

說是常識，不如說是眞理好了。

那些哲學者底，宗教家底，生物學者底話，

都是哄孩子們的糖果而已！

自然，

誰都願意去嘗一嘗；
但細嚼之後，果然是很甜嗎？
回味也是甜的嗎？
他們不耐去細嚼，
便一口咽下了，
都說，「甜得很呢！」
我未免覺得他們有些魯莽的氣息，
只是為人生，不得不讚頌這迷途的鳥。

（六）

蠶只吐絲，
蜂只釀蜜，
鳥只營巢，
獸只打窟，
螞蟻底脚去爬高山呢，
老鼠底嘴去偷油吃呢呢。

茫昧的衆生喲，
無目的的尋覓喲，
可知道有了結的時候嗎？
不知道已可憐了；
我們茫昧在知道了之後，
更又將如何排解呢？
雖然，我爲人生，不得不讚頌這迷途的鳥。

註「螞蟻爬高山」，是句俗語，言細小成大事之難得。
註「老鼠偷油吃」，亦俗歌中語，言貪食之爲患。

（七）

急流中底一個波，
自然沒有迴旋之地，
也不見得有依戀之心；
只是說牠有流蕩底責任，
波如會說話的，却斷斷乎不能承認。

人生彷彿急流中底一個波絲，
偏要時時去問明他底責任是什麼。
真真是個傻子，
遠遠不如微波了！
然我為人生，
不得不讚頌這迷途的鳥。

（八）

最可憐的，
是尋求真理者回來底時候。
穿着鞋子出去，
回來時鞋子破了；
赤着一雙脚出去，
回來時脚心穿了；
點着燈籠出去，
回來時燈籠滅了。

跟着太陽，月亮，星星們出去，
却被牠們拉下了，
回來時撐着一枝明杖，上面深深刻着「失望」
　底字樣。
這就是他畢生辛勤底唯一且最後的報酬了。
他不禁在懷中摟抱着去嗚嗚地啜泣，
怕將來人們聽見這般頹廢的聲音，所以不能號
　啕啊！

後來他自己葬於淚底波濤中，
明杖飄也似的飄，
「失望」底字跡却格外清楚了。

他知道人間充滿了虛僞，
眞理决不能和牠同在的；
只是不忍在人間以外去尋求什麼，

卽使人間以外有什麽可以尋求的。
他也知道將來帶囘來的無非是失望；
但覺得這是他底僅有的道路，
不能再有所選擇的。
卽到後來獨自啜泣底時光，
生命隨淚一起傾瀉了，
也決沒有絲毫的悔心。
他底一生，只知道徑行心之所安，
寧可跟隨衆生一起迷失了路途，
不願意問「生」底究竟是什麽。
我爲人生，不得不讚頌這迷途的鳥。

（九）

他豈不知沉淪是可怕的？
他豈不知掙扎是可憐的？
他豈不知人生底意義是空虛的？

他豈不知眞理是不可求的？
他豈不愛擷取那社會之花，沈醉那青春的酒？
他只不忍孤另另的幾數，
反覺得泥塗是他底故鄉。

雖有羣仙招魂而歌呢。
『吾心歸來呀！從人間，歸來！』
這樣地慨慷而又悽愴，
亦不足以搖動他灰色的心底毫末。
他只默默地申訴：
『求你們埋葬了我底靈魂罷！
我決不再歸來了！』

於是他們愴然地高舉，
覺得這樣地遺失了一個朋友，

在狹小，虛僞，汚濁的世間，
實在太不値得了。
但我爲人生，不得不讚頌這迷途的鳥。

（十）

無論怎麼樣的生活，
都暫且忍耐着罷。
只是沒有意義的生活，
也讓我們一例的去忍耐着，
這眞是太酷虐了。
紅着臉去怒啊，
垂着淚去哭啊，
伸着氣去歎息啊，
或者，張着大嘴笑一場啊。
反正，一樣而又一樣的，
都歸於無意義。

因一切歸於無意義，
所賜給的，雖極人間世底酷虐，
我們想要不忍耐而不可得了。

既沒有勇氣去沉淪，
又沒有勇氣去自殺；
只得微微的吟，或高高的唱那「努力於光明」
底歌。
明知道這是一杯甜甘醇美的，紅色的酒，
專給勝者們去喝的；
我竟含羞忍辱地把牠咽下了！

柔軟的哀鳴，
可憐是當然，
可恥是不消說的；

但我們僅僅只會歌唱這一個調子。
我爲人生，不得不讚頌這迷途的鳥。

（十二）

以生命換給我們底衣食，
自然底力做我們底奴才，
自然底晨光供我們底陶醉，
兄弟姊妹底悲歡，使我們底心琴爲之振蕩，……
在路上的，誰不祝福吾生底美麗而又奇偉？

所不可逃的，
生底形貌底豐饒，繁複，
漸漸形成意義底空虛。
光榮的表象，一有了悲哀的心，
還值什麼呢！
現代人底苦悶，現代人知道罷哩。

在不能同步的路途上，
我爲人生，不得不讚頌這迷途的鳥。

（十二）

鳥永遠不知道空氣是什麼，
魚永遠不知道水是什麼；
因爲——鳥畢生在空氣中翱翔，
魚畢生在水中去游泳。
衆生底茫昧，卽爲着不能外乎衆生之故。
生是茫昧底根原喲！

衆生之一的人生，
「覺醒」當然是個「夢」了。
但在夢中的，
又怎麼能分辨什麼是夢不是夢呢？
也想是爲這個緣故，

覺醒了底調子在人間，
時常唱得這麼高高的。

最可愛的是知道喲，
最靠不住的也是知道喲！
自知呢，
更可愛了，更靠不住了。
我們既承認牠是一種綺語，
又熱烈地去希望，企圖牠底實現，
更可要呪詛那失望的悲哀。
——上帝對於他愛子底驕縱，也着實爲難了。
—他覺得這孩子實在太淘氣了。
—他留下機會給他們，以外便都不管了。
—他也只有一條路喲！
給我爲人生，不得不讚頌這迷途的鳥。

（十三）

沒有家鄉的，偏學着說「歸來」；
沒有戀人的，偏學着說「眷愛」；
沒有意義的，偏學着說「覺醒」。
話是謊的，心却是眞的；
話是甜的，心却是苦的。
悲哀以帶了面具而格外重了，
支持不住了，
把心給崩碎了。
我掩着一雙酸而辣的眼，匆匆遠了。
也想歸來呀！
雖失了路，又失了家鄉，
還是想歸來的呀！
只要有一分鐘的平安——一秒也夠了——

在我底心上，
我就願用全生命爲「生」祝福了。
但以萍和柳絮爲生涯的，
無家而迫切思歸的游子，
難道這些微詛咒的聲音，不許他有嗎？
自然是不許的。
你須牢牢記着：
「我爲人生，不得不讚頌這迷途的鳥。」

（十四）

迷惑之流，
以生爲泉源，
以毀滅爲歸宿，
而愛是他底波瀾。
當波瀾靜穆底一霎間，
水或者還是伏流着的，

但光景却已銷沉了。
愛底銀浪，眞是一切迷惑底象徵！

聽！愛者底聲音！
彷彿琴一般的幽，
簫一般的圓，
琵琶一般的急迫。
Violin 一般的纏綿，
如小鳥一般的輕快，
如流泉一般的潺湲。
他們低低地申訴：
「我愛你，永永愛你。」
又高高地喊叫：
「我愛你，永永愛你！」
哭時說着，

笑時也說着;
醒了說着,
夢裏也話着。
他們老是這麼想:
「世界卽化了微塵,
卽再被罡風蕩散了,
愛依然會好好地存在着的。」
但反而想呢,
如愛遺失了,
世界豈不一起都掉了。
「天長地久」這句老話,
在愛者底心田,
是詛咒不是祝禱啊!
你們錯了!

愛只是人生劇底一幕，
只是刹那間一個夢，
有什麼叫做永久？
世界張着冷冰冰的臉，
你們却錯認爲微紅的玫瑰。
這些是很不錯的話，
但回音裏偏也說：
『你們錯了！你們大錯了！』

一切沒有超我們的存在。
我們以爲世界是什麼樣子，
牠就成了個什麼樣子。
愛不但應當是永久的，
而且是永久的。
愛底生誰不爲世界，

世界卻爲愛而生存了。

盲目的生命，
只有愛能把意義給他們，
把安慰去給他們。
有了所愛的在，
卽使是暫時的，
便也算不得虛生。

雖生命眞如朝露的須臾，
而須臾底中間，又充滿了無量無量的艱辛。
眞眞是不錯的，
我們應得借愛底光輝，
來創造我們自己底世界。
創造便是生，
創造便是愛！

灰色的止水，泛起銀色的沫痕，

嗚咽聲遠了，
歡躍聲也遠了。
我爲人生，不得不讚頌這迷途的鳥！

六，十九。

讖語

因她底呻吟，
倦極的我，已憎惡甜的夢，涼的席了。

將來的你，
如也有被追着去呻吟底時候；
千千萬記着：
眼淚還是倒咽的好。
心還是背了人碎了的好。
因微薄的聲音，
已把悲哀底種子，撒遍你那兄弟姊妹們底心上
了。
還是一種罪過哟！

六，二十五。

小詩呈佩弦

微倦的人，
微紅的臉，
微濕的風色，
在微茫的街燈影裏過去了。

六，三十。

以上在杭州作。

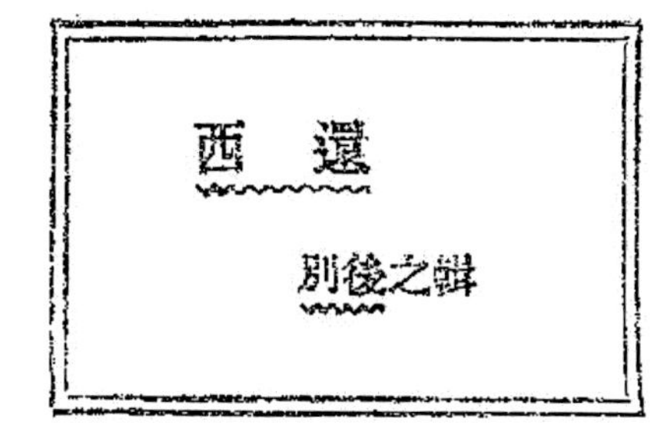
西還
別後之辭

別後

幾寸寬的灰色紙片合攏，
安安的睡在手箱裏。
我那有揭開牠底勇氣，
平常時，只當作沒緊要的，

一天，手顫動了，
揭開了，
吻着了。
她底影子？
我底影子？
隔淚了的淚底影子喲！
我做你底影裏情郎，

四　迴　別後之詩　[illegible]

西還　刪後之詩

[illegible]

你做我底畫中愛寵；
西廂作者說得好痛快啊！
你為什麼不能在我底身旁？
我願意你在我底身旁喲！
我為什麼不能在你底身旁？
你也願意我在你底身旁喲！
我雖能自由地吻你底冷的影子，
但我需要的是吻你底熱的脣喲！
我雖能從其餘的一切而想像出了你，
但我需要的是真切的見喲！
影子雖以你爲可愛，
我却不願伴我的只是牠喲！
你來時，我笑了；
你去時，我哭了。
其實你深鎖在狹的雕籠裏，

來來去去的是我喲！
我還棄你在泥滓之中，而獨自去掙扎；
雖是暫時的，雖究竟是徒然的，
自私的罪終不可樂了。
你如能萬一發你寬弘的赦音，
我希望你將說，『不愛我了』。
但是——我知道，
比分別黑白還要容易的知道：
你雖能恕我在無論那一點上，
你決不能恕我在這一點上；
你將永永的愛我，和生命一齊悠久了！
那麼，我將怎麼樣？
只有去負着鐵鎮，
唱人間底 love song。

聽你底囚徒底歌吟。
他說，莫笑我鐵鍊底郎當，
遠勝金妝玉裹的衣裳。
他說，Venus呀！
你赤裸裸地很好了，夠了。
何必以兩手把你有的什麼來遮蔽？
兩手又何嘗能把你所有的來遮蔽？
Venus 羞得拍翅走了，
愛在人間，從今後沒有主了，
他方才開始以全心力唱他底 love song，
和凱歌一樣的歡暢，
和戰歌一樣的激昂，
和挽歌一樣的肅穆悽愴。
他說：『輕塵弱草的人生，
我們豈有什麼不應當，

痛痛快快的哭牠一場，笑牠一場？」

※Venus是愛底女神，和性底貞潔底徵象，牠兩手遮

掩牠底性的中心。

別後的世界茫茫然：

只有鐵鍊條底餘音，

獨自在那邊丁丁當當，

彷彿不住的點着頭：

「夠了！夠了！」

八，十五，中夜，

美國波定頓。

東行記蹤寄環

（一）吳淞江

讓我從頭說，
吳淞江上迢遠的景光。
小輪歸去時，我被拉下了。
兩個朋友底帽子只是揮揚，
到辨不出誰是誰底面龐，
他倆底帽影想還是揮揚。
西望，隔去的顏色，賸一抹黃慘慘的夕陽。
飯時的鐘初次響，
我小立在 S.S. China 底甲板上。

拉去罷。拉下，丟掉。

七，九，下午六時。

（二）長崎灣

緝齋說：

「永忘不了 Nagasaki Bay。」

你知道是怎麼一回事呢？

Nagasaki 底青山是抱着的，

Nagasaki 月下的青山是抱着睡的。

牠們底慈母穿着繡花露藍邊的胸衣，波呀波的。

於我是新知，

於你是舊相識了。

你眼底的長崎灣，

想也有抱着睡的青山的，——

然而，我們遠了。

七，十一，夜十時。

（三）櫻蔭

你如正讀桃花扇，
從「冷清清的落照」裏，
還可以追尋我於吳淞江上。
你如正讀東坡詞，
到「但願人長久，千里共嬋娟」，
也還可以挽住我於長崎灣。
但我更遠了，遠在太平洋之濱，
我讓你讀些什麼好？
我想，你正可以讀老杜底無家別，
只是過於感傷了。
你還是不要讀罷，
還是讓我講給你聽罷。
人生那一處沒有離別！
銷魂橋上底柳，

總古是黯淡的*。
但今朝，太平洋底青苔，
明明比瀨水東下時底黃色，
更黯淡得多多了。
我才知道，
悲歡歷史之在人間，
是怎樣的廣大而悠長。
我和你只咽着一點點的微波淚。

*蘇州有銷魂橋之號。

你不信人間底網，
一條條都織着離恨嗎？
我請迴戀眼在東海之東，和牠們去相見。，
只怕你底歸舟，過於靈覡。
還是不要來罷，

還是講給你聽罷。

樂隊老不肯歇，
船老不肯開了。
我隨着伙伴往甲板上去。
啊呀！彩紙底條兒，盈千累萬的纏綿，
把她心給繫住了。
不知名的弦索們唱着歌。
是僑客還是惜別呢？
※船離岸時，船上擲綫。

說不儘的，絮絮叨叨，心中底話；
解不開的，紛紛揚揚，手中底線；
數不清楚的是驪離的人頭，
彈不徹的是瓏瓏琤琤的哀弦合隊。

忙追而感傷的一幅畫，
誰把牠懸在我底面前？

彩線因風結得愈糾纏，
別語也愈加棼亂。

風色原想爲人間多留些玫瑰笑的，
只無意中把太平洋底銀濤捲得灰了。
夕陽已吻着那蒼然的夜，
彷彿要將擁着去睡：
「你們是應該去的了！」

樂聲由高抗突變而爲低沉。
離人底手空空了，
彩線和欄干去纏綿了。
男子悄悄地把帽揮着，

女人悵然地張着她們底眼，
都跟着船兒慢慢的走。
只有海和天，
——日本海岸，只有遙遠的一線，
我們才撇了他們，
他們不得不撇下我們了。

雖人家都這麼說：
二十世紀底新別離，
堂堂然有丈夫氣，
不像從前人一味的嗚嗚兒女。
歌的不是驪駒，
折的不是柳絲，
送遠的不在什麼長亭，南浦。
但你切莫過信啊！

眞在臨歧底時分，
依然一例一例的，黯然銷魂，
踏着他們先人底脚跟。
終古的悽然語，
說在日本人嘴裏好，
說在歐美人嘴裏也好，
說在我們嘴裏自無不好，
什麽人都試過了，
怎麽樣都說了，
怎麽樣都想了；
送的人只有一聲「珍重」，
行的人只有一聲「去了」。
到愛者忍心爲徒然的祝福，
還是所謂「別離」了。

*驪駒，古人送客之詩。

今天，竟使我忍受這無鄉的別，
徒然的祝福，也吝而不與，
眞是有生以來未有的侮辱。
千千的咒詛，我有；
千千的酷虐，我有。
我信人間至可賤的莫過於失路後的游子。
惟有他——
只許飲泣，不許有憤恚的；
但他始終還要忍耐着，
以保持似弱草一條的生命。
眞是至可賤了！
『錯認他鄉是故鄉』，
是被損害者底惟一法門。

我有時竟認橫濱作家鄉了。

我這樣說：

別意雖是人家底，

而因此在橫濱，

我大有「故鄉之思」。

＊紅樓夢好了歌注中語。

「你忘了吳淞江底夕陽嗎？」

你想我敢答應個「是」嗎？

我永不敢——

永永不忘這虔敬的西方，

虔敬的你所居的西方，

那裏方才有我底家鄉！

這裏方才有我底家鄉！

七，十四，下午六時。

（四）China 船上之一

艙欄底帳子，
今晚又怪響的，
知道明天將睡搖籃了。

太平洋入夜，
一切都睡了，
船頭上三兩點黃的燈。

風濤欲近的中宵，
我倆在甲板上還是倚着。
口琴底簫聲，
斷續了，至於凝咽了。
又誰知道他吹的是什麼調子，
倦後的聲音只贈一味的倦喲！

風是在那邊怒鳴，
海是在那邊沈吟，
夜依然是嚴靜；
把T君底簫愈弄得羞澀而纏綿了。
不但把「生」底微茫這些怨思瀰漫上我底心頭，
且把牠們送在太平洋底風濤裏面。
白了頭的浪花嗚咽而雨了。

七，十五，夜半。

（五）Honolulu

樹陰高高的，
雲陰得低。
白雲中嵌碧樹呢？
碧樹外襯托着白雲？

曉風涼時，衣領間有濃香了。
是風送過野香呢？
還是牠們把風醉了？

路底迴旋，樹底崇密，
香氣底鬱烈，
使我們倦而相倚，
不知身在幽暗的濃處。

謝謝這，宛宛轉轉，鏡子似的摩托車道。
送我們上，一千二百英尺的 Pali 峯頭！

捉不住脚的横勁的風下，
他們都醺醉去。
我獨在巖畔徘徊，

把百年前，曾經擲下戰士骸骨的，

現在芊芊是綠的陂子，

看了，看了！

碑文節錄：

"Erected by the daughters of HAWAII

1907 to commemorate The Battle of

NUUANU fought in this valley 1795...'

七，二四，下午六時。

（六）China 船上之二。

指點着的水手，

他說，看見了人頭。

白花花的浪頭罷！

問他，他不言語了。

小艇不肯載我們底遙望歸來，

多只多了兩個救生圈兒。

正是所謂，

『夕陽明處，雙槳去悠悠』；

你愛這躊旋的海上風光嗎？

無留戀的船，沉重地起了椗。

『我們吃飯去罷！』

一切和往常一樣的。

仍然是默着，

仍然是媚着，

海和夕陽，也和往常一樣。

『他是香港人，才來了兩個月。』

有妻子，有幾個孩子，
二十多歲的年紀。……」
這時飯鑼已響着。

誰都下去，
暮色蒼蒼裏，
船尾桅頂上喜尚有孤悽悽的一條人影。
這最後的一瞬，
謝牠把愛的人生畫了！

嘴裏含着的「飄泊」，
今夜眠時，或者要初融在夢中了。
※因船搖，潦饒亦乎一八。

七，二七，下午六時。

（七）Berkeley之圓月

月光瀉在綠草地上，
碎紅花上，
老翁似的山頭上。
我一開門，砰的便關了。

八，五，夜。

九，三，嵩縣。

Clifton Park 中之話

贈緝齋

密蔭如華妝，疏林如淡抹。
灣的淺碧，認牠是曲港；
綠的湖蒼，又認牠是長流※。
草綠得好，黃得也好。
牠們底憔悴和華年，
永攜手在一條路上，
和咱們今天是一樣的。

※波定頓諸公園中，湖沼頗多。

你跳躍着，
我寧悠悠的走。
你爬山去，

我只喜平坦曲折的長衢。
你愛坐臥於茸纖的草地，
我却嫌牠濕且涼，
以爲不如在條椅上。

接葉交柯的茂蔭，
是談話底家鄉。
一片碧的海，
松鼠伏在棕黑色的老樹身傍。
黃閃閃的張着眼，
是晌午後底餘陽。

帶了書來，說是要看的，
但不久總被你擱下了；
我搭訕談了些瑣事，

但不久總被你岔斷了。
你很自然的會和我談到她，
很自然的談到你所經歷的短短一段。
我呢，聽着；
默底時多，話底時少，
說的是莫名其妙的話，
現的是微微的儍笑。
我從來不知道什麼話是有意義的，
我從來不知道什麼笑是玫瑰色的；
但我信，我能知道你一點。
你怕不信我底自信嗎？

你說到煩惑了，
我笑你有傻氣；
你說得憤怒了，

我笑你有孩子氣。
但你說得哀怨了，
小鳥忒楞楞一飛，
樹葉兒也搖搖頭，
我方才猛省，
你眞是一個平平常常的人，
而我笑得這樣傻，至少也是一種罪過。
可愛的平常人，
可愛到一切的讚揚，
對你都是侮辱了！

碧雲寺底雨冷得很呢，
杭州底話似乎並沒有完，
却不想兩年了，
更不想在此地相見。

兩年以後見我友，

我羨你底精進，

我敬你底剛強，

我憐你底狂熱；

但雖然——總不如我愛你底平常，

這樣的眞而且切。

你旣把所有的送給我；

我想，你也願把所有的送給人人。

上帝之子，個個是平常的，

我們可不愁沒有伴了。

可惜啊！

赤條條的來時，

遮遮掩掩的去了。

彼斯証者都分手了，
痛哉！在路上分了手！
我們只得收拾起悲歡，
在茫茫的沙漠間葬了。
能有幾個朋友靦覷底聲音？
卻有幾個朋友，
也仍然是孤孤另另的靦覷呀！

碎葉當着風，悄然的響，
眞率無隱私的搖頭，
細齊——
這是平常的樹葉兒嗎？

八，二三，夜。

八月二十四之夜

聽說太平洋以西的郵件來了，
而我總聽不到她底信音，
顯然今天又失望了，——
雖然也還有明天。

況且，晚上天下雨，
這是 Ballbach 從來沒有的事。
經齋又不來，
他定是又背着我去想什麼了。
美國底雨點，那知道是很重的；
悔當初做這麼多的夢啊！

天上底雨，原不醒人間底夢的。
但今夜江南如同在雨中，
還能依然助您底濃睡嗎？
我不禁禱着了。

好好的夢

誰都不知道牠是怎樣來的，
或者是怎樣去的；
誰都知道中間的一段，照例是這樣寂的；
誰都以為無論怎麼樣，夢境總是一樣的。

忽然有一個，很聰明地說了：
「我寧要好好的夢啊！」

真聰明的話，大家都拍手。
「怎麼樣才算好好的一個夢呢？」
始而瞪着眼，終於嚷嚷了。

懸問把全場弄喧擾了。

夢好不耐煩，說聲『失陪』，
撤身悄悄匆匆地去了。
這才妙呢，孩子們如今一個個都空着手。

有說：『好夢是給嚷跑的』。
有說：『好夢是在嚷聲裏過去的』。
還有說：『嚷嚷便是好好的夢』。

小孩子們哭着，鬧着，跑回家；
嘴裏都只叫『媽！媽！』
母親把眼淚抹了，
罵了聲『傻孩子』，
使他們在廣大的懷抱裏睡了。
她却似乎毫不介意於孩子們亂嚷這麼一回事。

八，二五。

Baltimore底三部曲

（一）晌午

沒遮攔的，晌午時，初秋底太陽，
叫囂着三聲兩聲的來了，
明亮而嘽緩地，搖曳着。

我聽了覺怪熱的，
以外呢，——只是帷子下了。

（二）中夜

燈以夜色重而格外清了，
人格外的倦了。
鄰家底孩子會喊『媽！媽！』
在無私隱，無悲哀的啼聲之下。

我聽聽覺怪熟的，
以外呢，——只是帷子下了。

（三）黎明

朝氣清得撲入，
還只是朦朧地白。
那裏的雞啼着？
那裏的雞悶着？
好幾次底雞呢！
模糊的夢兒，臨去時，牠說。
我聽了覺得怪熟的，
以外呢，——只是帷子下了。

九，七。

以上在波定讀作。

到紐約後初次西寄

（一）

薄陰本不願剪斷牠底網繆，
微陽不樂滅牠底明媚的！
可惜此地只有——
高的樓，方的窗，
淒幽的我底面龐，
徒然的梳掠，髮蓬鬆在額上。
天開時，我知道，青是這樣湛湛；
雲生時，我又知道，白是那樣茫茫；
二十四小時中間，有一度西去的夕陽，
我知道得已太多了！

（二）

明靚的她，朦朧着的；

談着的她，且笑着的；
挽着黑頭髮的她，歎着的。

夜被喚回的時分，
夢被喚回的時分，
笑靨被喚回的時分，
搖搖的一顆心兒，
逐夜而去，
逐夢而去，
逐笑靨而去；
不知那裏去了。
只撇下孤孤另另的一個我。

曉色明到一方灰色的牆上，
井欄外，高高的天上，

飄不到我底心上喲！

九，二五，夜。

車音

這兒底車音，
不復沈填着，似夏夜底輕雷，
宛轉着，似井泉旁底轆轤了。
應有的處子底羞，青梅底澀，
賸有幾星了，
在這沈重的機聲之下？

嘈雜了一天，還不夠嗎？
怎又在倦極的消宵，
鬧得他雙眸生生睜着。
我方想這樣地罵着，
轟轟地，牠倒又來了！

九，二六，夜。

呻吟

（一）

苦杯一飲而盡。

胡椒辣到戀人底手帕子上。

宛轉和嘶號，不久安安然去黃泉之下了。

都默默地各向人間申訴，

「我們尖了！」

花開又謝了，

月圓又缺了，

小鳥兒忒楞楞的飛來，又如是的飛去了。

孩子皎白的小心，染上灰色的悲哀了。

水一般的小姑娘，

不久做了母親，——

老的母親喲。
都默默地各向人間申訴，
「我們去了！」

我感謝，
我依戀，
我咒詛，
那一切，
那一切過去的，
那一切將過去的，
那一切定要過去的。

但是——
我正感謝着，
依戀着，

我正咀咒着。
他們呢，
已默默地各向人間中訴，
『我們去了！』

都去了！
孤鬼的我也去罷。
踏發底時光，
眼還可一週盼的時光啊——
車子套好了，
馬蹄跳了，
送的在門前，
行的也在門前了——
但我還是要感謝着，
還是要依戀着，

我還是要詛咒着。

我不僅默默地申訴，
我要叫出來喲！

（二）

一條只去無來的，
只行無住的，
沒頭又沒尾的，
黑越越的夜，
籠着迷眩的慘白霧的一條路上，
客人們都以為捉到了「自由」，
我真怪詫異的。

可憐極的牠們，
「自由」只在嘴裏聒聒着，

嚼不動的糖果喲！
笑話人的我，
却空張着一張大嘴。

我終被他們憐且笑了！

（三）

「我們已在路上了！」
獅子的吼音，
把許多傻瓜心中抱着，擺着的，
「為什麼在路上」這句傻話，
敲得虛空粉碎，一片一片的飄蕩無着。

無歸着的飄呀揚，
化為人底獄的倭倫。

戀着悲哀的朋友們！
你們時常有話說不出話來，
有眼淚流不出眼淚來，
正是這個原故了。

九，六。

（四）

忍耐是誰底事呢？
勇者想鬭，怯者也想鬭啊。

凡類乎鬭的，我都倦而厭了。
讓我休息罷，
不要想罷，
即使這樣小，小極了的一個。
我只當我已睡罷。

Good Night!
你們，聰明的，
忍耐總在不得不那麼着的時候，
大家底事罷了。

唉，又想什麼了，
又說話了。
睡！只有睡!!

（五）

千萬的細菌，
在牆上作舞蹈。
一天一天的過去，
褥子給我翻騰成一個窩了。
令我想起野獸們在黃沙裏打滾底樣子。

一滴搭的苦藥，
已把心房爆裂了。
要把杯子給砸了……
天啊！
我定把杯子砸了！
假如沒有她，沒有他們倆。

（六）

生底海洋，
大者波而小者浪，
唉！一個下去，一個起來，
都推着，擠着，妨着，
轟隆隆，怒底音，
白頭髮，悽慘底色。
生底愛，人生底愛，

眞的！只在狹的籠兒裏。
我將何愛於他們，
我更何能兼而愛牠們呢。

在籠子裏的，
不得已啊。
請恕我！請恕我。

十，八。

（七）

醉可喜，
飄飄的臉亦可喜。
睡可喜，
迷迷的眼亦可喜。
夜可喜，
冥冥的暮亦可喜。

以永恆的安息可喜，
故小小的病褟亦可喜了！。

十，十四，病中。

藥店底門口

（一）

日高高的，風冷冷的，正午的大街上，充滿了晴明清潔的意思。我在紐約東城一另小店裏配些藥。

美國人總喜歡把糖和藥一塊兒吃，藥和糖是向來和和氣氣的過日子，不分家的。所以這家子門口也有自己會賣糖的紅箱子。或者是個賣糖的人兒呢，也說不定，但我總覺得牠底臉太方正了，不如叫牠箱子。牠似乎不致於因此生氣。

那邊，慢慢的走過來一個女人。繞在她身邊，參參差差，差不多的高矮的四五個，男的，女的，都是孩子。她或是他們底母親了。

：一個圓的小小的 penny 她放在賣糖者底—
箱子罷！——手裏；然後手一按，一塊大糖便
乖乖的走出來了，她給了孩子中間的一個。看
！很快的抓着，且很快的往嘴裏塞。大的糖，
小的嘴，或者，小的糖，大的嘴；這雖自來是
有些不同的，但在這裏却一點分別都沒有。

都急了。吵着，圍着，把滑溜溜的雙瞳瞪
着，小手，大嘴張着。要讓他們知道他們底
需求：「我們也要！」

搭搭的響了，四五塊的糖速速的跑出來，
孩子們每人有了一塊，同樣快快的往嘴裏塞。

小鳥般的嘰喳，誇矜自得的顏色，「我也
有！」我沒聽見話，却懂得了話底意思，沒有
話的意思，正和沒有意思的話一樣，確是有的
。但行爲論者先生們却楞着說是沒有。我不知

道，為什麼沒有？沒有便是沒有。但我最喜歡問道「為什麼」？

（二）

糖有些在箱子裏了，有些在肚子裏了，母親帶他們走了。有個頂小的賴着不肯走，她叫了三四遍，他還不肯走，挺着腰伸着肥的臂膊，學他母親拿糖底樣子，又把小手攀那箱滾出來的口子上，等着，有塊糖快快的到他嘴裏去。這個意思便是『還要』！

還要嗎？糖不言語。牠覺得這是太不知足，這是一種過失，要得老子，先生好好的管教了。好方正的糖，好方正的箱子底臉嘴！

傻孩子！！錢太多了，亦太少了！！要你孩子底小心做什麼用？能值幾個大呢？孩子也不回答，只等那糖快快的滾出來，跑出來。他還是不走。母親又叫了他幾遍。

好一雙淺灰色的大眼睛！我不禁在袋裏找一個 penny，但是今天，手吝嗇極了，我也找不着，一個也找不着。

我不信一個也不找着，偏要細細地找出一個來。但是，賣藥的伙計先生，在裏邊叫，正在這個時候高叫，正在這個時候高高叫：

"Sir, all ready now"。

我一回步，再出來。可憐——日高高的，風冷冷的，人聲嘈嘈，車聲隆隆的，似乎已沒有，且未嘗有過這麼一回事了。

（三）

從千萬人如海的紐約市，失掉了這樣一個小的影子，在腳步一轉的當兒。

我挽着好重的外衣——裏面添了藥瓶底綠

故——慢慢的鑽進地洞裏，回我底家裏，我底窩裏，或者是旅館裏，或者是醫院裏。我都不知道了！

日高高的，風冷冷的，我搽上了藥店先生給的藥膏，悄然躺着，也似乎沒有，且未嘗有過這麼一回事了。

十，十三。

太寬大的上帝

大大小小的杯子，
都盛着些水，
桌子上很乾燥的。
大家都以為「甚是」。
以什麼為甚是呢？
好好的水，好好的杯子。

水擠得不堪，都往外跑，
杯子們大摔觔斗，
桌子上滿滿的盡是水。
大家皺眉毛聳肩膀，
以為不妙，以為不該。
有的說：「杯子淺了！」

有的說：
「不然喲，水多了！」

是杯底淺？
是水底多呢？
實在無從分辨。
杯子早已翻了，
水早已泛濫了，
你們看！

怕道是願意的，
都是不得不然啊。
誰能——又誰該怨着誰呢！
只是自怨啊！
一個說：「多了！！」

一個說：『淺了！』

怨是徒然，
悔是徒然的，
咒詛是徒然，
知道更是徒然的；
因爲本來沒有人願意如此。

若說知道得太晚了，
便早些，又將怎麼樣呢？
可羞的傻啊！

「不得不然」這四個大大的字，
我們底運命，
我們底自由，

溢在於此間了。
上帝！謝謝你，
你底寬大！
給得這麼樣的多！
太寬大的上帝！

六，十九。

占有

游博物院後所感

誰敢說這是一種罪過？
（至少我是不敢說）
我們要愛，
我們要熱熱的愛。

我遠遠的望着你，
我近近的覷着你，
我緊緊的握着你，
我重重的吻着你，
我密密的摟着你。
有你，你得在我底懷裏；
有我，我得在你底懷裏。

誰敢說這是一種罪過？

（至少我是不敢說）

十，二三。

去思

去紐約作

看倦了的影子，
漸漸地慢慢地有些兒可愛，
便是他要走了；
於是——我又輕薄地被玩弄了一次。

今天，我呢，
誓不戀戀了。
但四圍的臉怎麼又惡很很的？
重得像一件雨打濕的厚呢大衣，
在倫敦冬晚底霧裏。

十，二六，

以上在紐約作。

坎拿大道中雜詩

（一）

衰草襯着，黃葉兒覆着，
嚴霜和積雪各自悄然凝着。
如我能躺在這初冬早晨的北方平原裏，
如我能死在這初冬早晨的北方平原裏，
以外一個朋友也沒有，一個人兒也沒有，
連一條蠢蠢的蟲蟻兒也沒有；——
這時候，大地方才笑了，悲哀方才銷了，我方
　才無憾了。
雖然說，已沒有所謂「我」了。

（二）

眼淚是可以預支的，可以欠的，可以添的，
在人間世本來已嫌多，因此上太嫌多了。

笑臉是僵的現款，一手付了，一筆勾了。
絕望中的，正張着煩憂底眼，
回想中的，又展着悵惘底甚麼。

眞幸運的人兒，你所有的：
（放寬大些，請說我們罷！）
只是怱怱的一笑，
只是微微的一笑，
只是怱怱地微微一笑而已！

（三）

天底陰沈，堂底彫零，
冷冰冰的湖澤畔，精赤條條的枯樹林。
我不喜歡牠們，牠們都太像我了。

不但有些兒像，簡直是很像；
因爲這樣，我更不喜歡牠們。

十，二八。

（四）

淺藍的天，金黃的草磧，
上不見一縷的銀痕，
遠不見一桁的螺青，
近不見一座小村；
只是這樣的清澄，
只是這樣的坦平，
太陽嬾嬾地躺在大大的平原，
不生纖毫的暗影。

灰黃的土道上，
一輛篷車，

兩個帶絳紅兜的女人，白馬拉著，[illegible][illegible][illegible][illegible]行。

彷彿清寥的天宇中，

只有她們倆偶兒相並。

（五）

將來你們如定要葬我，

那麽請不要立什麽碑，

請不要種什麽樹，

只讓野草們搖搖地在我墳頭。

一年西北風來底時光，

牠們會將我底一生，告訴兄弟們。

十，三十，

坎拿大太平洋鐵路車上。

沒有我底分兒

「苦人兒，你來告訴我。
你可曾有過快活的日子？
老老實實的告訴我！
千萬，千千萬，請不要話沒說便先淌眼淚，如
　往常這個樣子。
無端便傷心使人怪厭煩的；
況且，誰是紅樓夢中底黛玉，你知道？」
他這次却是沒有哭，
只點點頭，又搖搖頭。
「朋友，快說罷！
不要老這麼撇掩着。

說罷——好朋友！」

「沒有我底分兒！

他們——多着呢，

着醉，

着睡，

着死，

着愚騃，

着幼年，

着瘋癲，

着狂歡、

着暴怒；

着笑得儍的，

着哭得大的，

着叫着的，

若醒着的，……
一切，他們，
不知道有『我』或暫時忘了『我』的；
都正過着快快活活的日子。

『原來他們多着呢，
像大道傍野草一般多，
只是沒有我底分兒！

『我也想明亮地哭着，像初生嬰兒樣的。
但是，你聽！
女人們底嗚咽不比我底啼聲還要高亢？
朋友，
這其間只要我常在，
沒有我底分兒喲！』

十一，二，晨二時，

作於 Hotel Vancouver,

Vancouver,B.C,

假如你願意

我不能有你，
且不能有我自己，
我嘗為你所有；
假如你願意。

我厭棄自由了，
我厭棄我底心了，
把牠們交給你，
都交給你；
假如你願意。

我微細得來像塵土一樣，
在你脚底下踹着，

到你腳跟沾有塵土的時光，
我便有福了。

祈禱

五歲的小姑娘，
倚在我身上，
顫顫的握着筆，
寫她底名字給我。
牧師，她底父親，在隔壁唱讚美詩，
男男女女坐着，唱着，
「撒霞那」丁東和着，
聖經手裏舉着，
眞眞莊嚴似天使底石像了。
歪斜而大的字跡，
A字倒了，
S又寫得滿不對，

我把正當的樣子指給她，
她艱難地學了，
第二次又錯了。
好憨的孩子全不解那些方式。
但不要忙，有人教你，你爸爸教你，
你總於要學會的。
看！不是嗎？
太聰明，太有出息的我們，
一個個和傻子分手，
甘心被方式擁抱去了。

默然自念底當兒，
孩子跑了，
她底黃髮蕭疏的老父，
還在那邊虔誠地祈禱。

隔着一重窗兒，
不知道怎樣呼吸也會重的。
我也有所禱了：
「上帝，你去！
去你底！
可憐可憐孩子罷，
請可憐這五歲小女孩罷！」
上帝無言，想是去了。
眞有上帝，
眞有他底兒子，耶穌基督，」
見人間已知此聰明，
他們也可以去了。
他們也要去了，
他們也忍不住了。

晚眺

我無端的笑笑，
又無端的淌眼淚；
在船尾上，
在船舷上；
對着落照，
對着海洋，
橙紅色的牠倆。
我不知我為甚的嘻笑，
正和不知道我從那兒來的，我為什麼來的呢一樣。

十一，十三晚。

飄泊者底願望

（一）

飄，搖，流，蕩，
處處有個我在。
這樣，因為這麼樣，
慣了，久了，倦了，且厭了。
「你得知道你自己，
認識你自己，
約束你自己，
你得有你自己。」
我聽——我聽慣了，
只是聽不慣這些話。

有的人在醉夢裏，
有的人在醒後，
話語參差着。
誰是誰呢？
誰都說，『我醒了！』
不消說的。
今天，我姑且，暫且以爲我是醉着呢，做着夢
呢，
反正我想是一個樣的。
他們呢，或者以爲這是重且大的。

（二）

把我所有的一切，
一切我所有的，
連我在內，都交給她。
我底心，從今後，只當傳達她命令底一個紐。

她未必願意？——
然而難說的，
未必不願意罷？
問她好了，我不知道。

我是冰冷的火車頭，
她是熱蓬蓬的蒸氣；
我是空虛的玻璃泡，
她是明灼灼的電流；
我若是彷徨無歸宿的野馬，
她就是騎在背上，搖着鞭子的那個人兒罷！

十一，十七晨。

西還前夜偶成

船兒動着；
只我最愛睡，一天要睡去大半天。
船兒泊着；
只我睡不着，一夜睡不到小半夜。

一九二三，十一，十八，吳淞夜泊。

以上均俄皇后歸舟中作。

西還

附錄

囈語

（一）

我雖聽不懂他們底話，
但是，哲學底話總使我笑，
文學底話總使我怕，
科學底話總使我厭。
牠們或者是不如此的，
因爲聽不懂底原故；
可是恕我說——
至少不耐煩再聽下去了。
誰底話我聽得懂，
誰底話我愛聽，
誰就是我底友。

我如一旦找到且認識了他。

那麼，迎候歸人底火把便將照耀於墮葉一般枯
涸了的眼底，
而欣悅的淚也將初次羞縮地滴在塵土漬過的衣
襟上面。

（二）

悲哀不能擾亂你倆底心曲，
除非自擾啊！
我們從今去活着，
活着在死的靜默底中間；
把牠銷融了，
至少把牠生生的餓死，
不然，牠亦將倦而睡了。
心靜得來像一汪止水。

到漪漣的圓痕都不可辨，
到琮琤的微語都聽不見，
只有一方明鏡子。
照着我灰色的臉和短髭鬚，
照着您底黑而彎的髮脚邊。
這就是悲哀！
這就是牠！

（三）

詩只是謎兒，
讓您猜我手中底謎罷。

我有一個寃家似的戀人，
後來成爲眞的寃家了。
自從知道有「我」以來，
卽以青春之酒，珍珠的淚，二月花的顏容，

以萬種的風情去媚他。
他對我可只有這麼冷的一張臉，
像北風之下，危峯之上的積雪；
他對我可只有這麼乾脆的一句話，一個字，
說道『去』。

我想說出他是誰，
我却沒有這個膽；
因爲他究竟是我底冤家似的戀人，
雖說已將成爲眞的冤家了！

（四）

雖微細到一粒黃沙，
只要是搖搖在面前的，
卻是引他十二分的喜悅，
且覺得不可名言的。

醉後的戀人，
戀人底醉後，
比方終久只是比方喲！

但到飛集於他懷裏底時候：
釀的醇醪以不悅鯨飲故而化爲薄的水酒，
意與底闌珊，幽寂，
恍如五月底春花了。

若到銷釋，搖漾於他憶裏底時候：
喜悅底再婚，檢點她作新嫁娘時的面紗，
重把淺碧色的輕綃，罩住她一雙星爍的媚眼，
　白玉的廣額，和紅玫瑰的笑臉；
這就是我們說膩了的「惆悵」，
這就是迷眩他的，使他回頭不往前走，尋找兄

弟們去和他們攜手的。

譬如橄欖初漬着軟軟的牙，
一味的酸澀，一味的苦，大可撇的了；
而鄉下人偏還要咀嚼，以致顛倒捨不得。
這正成其所謂鄉下人啊！

清苦如孀婦的餘甘，
果眞寸裂那怯弱的心，
且把他醉了；
我除淋淋浪浪地流欣笑的淚以外，
有什麼可說的呢。
可惜回味底甘，似乎專爲形容本味底酸苦而顯
　來的；
卻不料反以此重他底迷戀。
他將葬他自己在迷迷戀戀裏！

他說：「我定要葬我自己在迷迷戀裏！」

朋友們唱他底挽歌，
在他葬鐘未破以前，
還希望他底再生，
還希望他底歸來，
還希望他和他們攜手。
只是他所留給的一個問題：
「遙遙在面前的，是冷的燐還是熱的燭呢？」
他們卻終於怯着去回答；
因為他們在這一點上實在也和他一樣的無所知，
不能強顏以為有知，以欺罔他們底友。

默着，默着！

下去，直下去！

有一天，前不見燈兒，後不見影兒了！

那時候，沒有可引誘的光，不論青磷與紅燭。

沒有可辨別的滋味，更弗論甘之與苦了。

還或者是—大約或者是罷—覺醒底質兒，

却與我們所謂的，所認識的又不相同。

故從已沈溺了的他心裏潛，

只有迷迷戀是我們底，且是我們子孫底大路。

（五）

於中夜初醒時，

窗紙上北風底悉索，

屋脊頭三兩個貓底吆呼，

使我把頭更鑽進被窩裏去，

使我把眼藏到臂膊彎裏去。

冷的黑暗是中夜惟一的安慰，

我底掙扎也請當作夜海底一點微漪罷！

（六）

黎明挽着殘夜，
黃昏吻着夕陽，
我依戀於牠們；
但牠們相互之間，似無意於此的，
反說，不信人間會有這麼可羞的事。

失却的悲哀以自怨而深，
牠們僅知道拿「趕着走」這個口號來勸我走，
以依戀牠們之故而不願趕着牠們走；
牠們始終說，不信人間會有這麼可羞的事。

（七）

天帝創造的一切中，
獨人類底祖先最乖巧。

他倆明明長成了，却賴在樂園裏老不走。
他歎着發愁，沒有半點的辦法；
因他倆未生以前，
他曾許分他座前底自由之花結束兒女們底福
祿。
今天，孩子們借以撒嬌；
除掉他慈母以外—要柔和得多呢—
全知全能的他也想不出更好的方法了。
他掌握着無上的威權；
雷的聲，他的目，
嘆氣可興颶風，
滴淚可成江河……。
但在這兒却全然用牠們不着，
因他多說了，而且錯說了一句話，
又是對他孩子們說的。

堂堂的造物主，怎好意思去奪回嬌癡小兒女手
　中底糖果呢！

勸當然是無效，
嚇唬當然是不怕的，
最後得再給一大塊的糖果。
他說：「凡我所統屬無限又無垠宇宙中間的，
任你們底取攜罷，
願你們有所取攜而去罷。」
這原是哄哄孩子的，
他底糖果多得很呢！
花只是他脚下底野草，
卽永生之神方也就如亂紙似的棄着。

但天帝不希罕的東西，

—他底兒女肯放在眼裏？

芳香，光輝，綿長的歡樂，

將為他倆後人所尋覓的，渴想着的，爭奪着

的；

——在樂園生長慣了的他倆倆，

至少也慚愧帶這些向人間去罷，

以為將被子子孫孫所譏笑，

甚而至於為他們所怨懟了。

哦！他倆終於被糖果哄了！

破題兒的話，還是仰着頭說的：

「我們願生於乳白的霧露裏，

我們願死於乳白的霧露裏。」

他點點頭，笑笑地回答：

「孩子們，去罷—可以的！

你們將生於乳白的霧露裏，

你們將死於乳白的霧露裏！

可再沒有比人類底祖先再乖巧的了。

他倆知道自己，故知道他倆底子孫，

無論世界如何樣的完全，

而他們永久是不知足的；

故於辭別時，

在嚴父底膝前，飲了兩杯乳白的霧露，以代疏

　蘇底酒，

這正是不知足底良藥。

攀個和合以進於帝的，

可以永永錫福於他們底兒孫。

但是他們底子孫畢竟是個不知足的。

他們既怨帝之吝嗇，
又咒詛到他倆個，
當初何以竟沒有學會說話，
便胡亂地開了口，
更何足當乖巧的孩子這個美稱。
「既然知道生要生於乳白霧露裏，
死也要死於乳白的霧露裏，
爲什麼生死底中間，
盈溢着水晶瑩澈的悲哀的，
偏偏會在這乳白的霧露以外？」

自從世上有了人類，
天帝退休了，老了，
久已把天門關得牢牢的，還實實上了鎖，
再不理會，且也無從理會到遙遙萬萬代的兒孫底啼哭。

至於人類底始祖，所謂知子莫若父的，豈不益

而言中了！

亦幸而他們倆究竟不失爲乖巧的孩子，

早於拜別時，飲了兩杯乳白的霧露。

這正是不知足底良藥。

二三，一，一六。

（八）

理想上的她最完全了，所以可敬畏；

實感中的她常有錯誤的，所以可愛了。

讓我認她底錯誤爲完全底極致罷；

讓她底錯誤繼完全而被敬畏罷；

讓敬畏與愛糾紛着，完成我底渴慕罷；

讓白熱的情燄燃裂了我那枯涸的心房罷！

（九）

太多自由的野馬以被騎乘底自由爲更多；
因牠忙了要病，閒了又要病的。
韌極的鞭絲恐莫過於沙聲的胡哨了，
兼有乳底溫甜，胡椒底辣，
牠於潛伏着，而馳驟向那墮落的征途上面。

——以上在北京作。

（十）

汚下的人生，
汚下的愛，
以誇張而增他們底汚下。
我們應當說愛是人的；
我們可以說愛是獸的；

我們不能說愛是神的。

牠如離我們遠，

——他離我們更遠了；

牠如不全可知，

——他更全不可知了。

誰忍將堅韌柔熱的肉愛底情絲，織成憧憬似的

　　輕紗呢？

我們都有戀人，

我們都要唱戀歌；

歌兒怎樣地唱？

人兒怎樣地去媚着呢？

惟一的道路只是密切地老觀着他或她底臉。

臉微微的紅時，

琴弦澀澀地岔了。

我們都有戀人，
我們都要唱戀歌。
如你爲他或她之故而唱戀歌底時候，
則千萬唱得老實些罷；
如你爲他或她之故而唱一切的歌底時候，
則千萬唱得老實些罷！

凡是什麼樣子的，
正把牠說成什麼樣子：
這是對于「生」底虔肅。
少了一分是侮辱，
多了一分還是侮辱啊。

你卽不愛那一切，

也總算有所愛罷。
那麼，至少也看他名字底面上，不要老侮辱那
　一切了。
那一切和他底不可分，
正和你和他底不可分是一樣。
侮辱那一切，
卽是侮辱你自己；
你雖信是不足道的，
但他呢，也還有他呢？
請你看他名字底面上，不要老侮辱那一切了。

汚下的人生，
汚下的愛，
以誇張而增他們底汚下。
這或是幸運的迴環，

但有如止水一般瑩澈的心的人，
怎能不撥動他悲哀底潛流！
他發願唱出人間底幕後，
只是幸運的人兒太多，
誰還理會到他底微嘶呢。
也是徒勞罷了——
也是徒勞罷了！！——
雖然於一剎那間，他底負擔上有些不同。

他安然，寂然，嫻嫻地入睡；
這彌和往常歌聲未發時有些不同了。
倦便是甚深的慰藉和悅愉，
他又何必理會到「誰理會他底微嘶呢」。

五，五。

（十一）

我底謊話最多，
我且最愛說謊。
自從屢被責罵着之後，
方漸漸地省悟道原來是一種罪過。
因此說謊這件事也漸漸地真成爲一種罪過了。

到我底謊一天一天的見少，
包孕着我的謊就一天一天的加多。
成人底世界正是大大的一個謊啊。
於是我又挨罵了，
在意義上，雖說是不相同。

光陰怎肯走回來，
誰怎能說回來；
孩子是個孩子，

畢竟不是您啊。

頹弛的我也只得硬掙而硬挺着了。

我也只得生澀地喊出老實的話語：

卽使包孕着我的那一切，

雖是一個「大無外」的大謊。

罪過以「知道」而後有，

可惜我現祖道「知道」已嫌太晚。

　　這篇本擬列入憶中，後因風格底不同，

移在此處。　平伯跋。

（十二）

我們終久是要分手的。

可是現在呢，

我底手正在您底手裏，

所以我不願說什麼分手的話。

明是一條三叉路！
（若說多於三叉，倒是很不錯的。）
我們倆要手攜着手的走，
我且死緊地握着你底手而走。
這算什麼呢？
成個什麼樣兒呢？
我能知道嗎！

分手以前，大家伙兒多拉幾回手，
總要比你獨自個歎着"好一點"，
這就是我底「區區之見」。
倘若您定要把野草連根拔去，說：
「好在那裏呢？
這樣子豈不更形容出將分手時底孤另了嗎？

誰說不是呢？

可是，我能知道嗎？

忒默着，北方言停留。但此地又不便用停留來代。

默音「得嘍切」。

在路上頻頻碰到的，

孤悽地背着行李包走的人們，

他們是沒省得臨歧底悲哀，

還是被這重悲哀滲過了才如此的呢？

你說，我能知道嗎？

若依我「區區之見」：

我們既已手攜手了，

且三叉路雖已在前面，

終久還是在前面呢。；

那麼，我們且莫談分手時底話，
最好相互的加緊握着手。
走了一步是一步，
有一步便走一步。
莫引頸，莫回頭，
要這樣好好的走。
至於黃沙泥上的脚迹，
已零亂了嗎？
還有些分明嗎？
我們何必問，又何勞我們問呢！
停勻安穩的步履，
這便是似暮鴉的人們所能得到的，
亦正是他們所凝望着的一些安慰。
以外的——
你說，我能知道嗎？！

六三日作。

（十三）

濕熱的夏夜，
風也是濕軟的。
銀白的流星，
閃閃地當我們頭上掠過了。

大氣裏，
星星們廝盪着，
憂鬱着，燒着，——
爆了。

隕落底光芒，
光芒的隕落，
刹那間生命底充實喲！

人生一世，
草生一秋；
銀白的流星們，
已如是地掠過了。

（十四）

痛快地活着，
大約無望於今生了。
那麼，讓咱們痛痛快快的死。
解脫幻如夢中的花朵，
那麼，讓咱們很很地，大大地掙扎一番。
回響旣寥落過於曙後的星；
那麼，至少也讓咱們幾個人底吶喊，
像巨濤被颶風颺起又倒下來底聲音。

（十五）

生命之力是鐵鉉內向的一枝箭，深埋在嬰兒底心裏。

當您最初覺到牠在那邊生長；
您已黯然內傷了。
當您錯認牠底生長爲您底驕傲；
您底血已涓涓開始長流了。
當您忘了驕傲而體會到偉大；
那麼，您底創已快穿了，
您底血已快乾了。
當您幷忘却了偉大，找着了那個「平凡」；
啊！這枝生命箭驟洞了您底心胸，
黃土掺着猶沸騰的一堆血。
「烈烈燒着的煤炭」一旦熄了。
紅的燄，靑的烟，
都已上升了，
都已遠人間了。

不知那一年上，
偶然有一天，
街燈黃的時候，
有柔曼的么弦，
懷皎的橫笛，
無意中唱出了您。
『好陌生的名字！』
聽的人都怪詫異了。
唉！應該被忘却的您啊！

（十六）

在生命之大流中，
前波是被後波跨過的。
但前波有更前的波在牠底前；
後波有更後的波在牠底後；
所以大家安然地過去，

認為平常而必要的事，
沒有驕傲，也沒有羞恥。
這麼樣——到永遠?!
故超越是我們底名字，
被超越也是我們底名字。
在我們應當走的時候，
我們定要快快的走。
我們不願擠住後面兄弟們底路。
大家走，
大家向前走，
大家向着毀滅走。
這裏有生命底光輝，正照耀在我們底前路。
毀滅是永久的動，
是生命底重新。
我們底眼光很短，

牠匆匆地跑過去，
所以很像一匹灰色馬；
但上面人底名字不一定叫做「死」。

（十七）

我父親有一把兩刃的尖刀，
帶着古舊的鞘。
說他死在這上面的；
這句話好久了，
所以我也很少知道。

十二三歲了，
母親讓我佩這刀，
還帶着古舊的鞘。
『你佩着牠，記念你父親。
你可千萬別學你父親，

把刀拔出了鞘。

要割破手呢，痛的呢！

記着！孩子。

你千萬別把刀拔出了鞘。

你父親底血流過在這上面的，

你母親底淚流過在這上面的；

你千萬別學我們底樣子！——

可是，我知道，

這把兩刃的尖刀，

終久要流我孩子底血，

流你妻底眼淚的。

唉！這運命！——

去罷，孩子！

好好的去！

你盡你底一生佩着牠，記念你父親。

他是死在這個上面的。……」

嗚咽而出的話語，
好似輕碎的秋風微嘯。
「帶着這樣破爛的鞘，
鄉家底孩子要笑話的。」
我堅決地自語。
從來沒見刀有兩刃的，
別要抽牠出來瞧。
……………
刀從此出了鞘，
摔蕩摔蕩掛上孩子底腰。

青綠的苔痕，
黃赤的銹痕，

（讀過血底痕罷？）
光光的一把兩刃尖刀，
鄰家孩子耍木刀底時光，
我必定高高擧起了牠，
像戲台上好漢底樣子，
喊道，『嚇！』
在這裏，我覺得驕傲。

十三五歲，
十七八歲了，
我底血快要沸了。
苔痕也盪掃，
鏽痕也酒消，
光光的一把兩刃尖刀，
半新不舊，好沒樣子的！

在水邊的石上，磨洗一下子，
還有多們好。

清泉白石之間，
二十歲的年少，
自磨他底寶刀。
行路的人都餂道：
『好把刀！』
好得來活像一汪靜止的秋水，
森森地迸出青白的寒光。
還怕道不好嗎？
自然好。
『好！好！』
大家都說。
在這裏，我覺得驕傲。

光光的一把兩刃尖刀，
捽捽蕩蕩上了我底腰。
有人問『鞘呢？』
我笑笑，『向來是沒有的。』
『你小心些！』
『小心什麼！
我從小就佩着，
我要佩到老。』
誰還記得當年曾有過這麼一個古舊的鞘！
母親啼咽着的話語呢，
更如烟一般的散了。
『少年人，你刀那裏來的？』
『父親底。』

『誰給的？』

『母親給的。』

『原來做什麼用的？』

『我知道嗎！』

『現在你怎樣用呢？』

『我要見仇人底血！』

『誰?!』

『那一切……』

他們就此嚇跑了。

在這裏，我覺得驕傲。

…………

微霜下降的晚秋之夜，

衰草是白的，

圓月也是白的。

秋蟲似耳語底啾唧，
秋風似女人新衣底悉颯，
越覺得悽清殺的寂，
越覺得黯淡極的默。
大大的北方平原，
小小的一個僵冷久的青年屍體，
上面有燿燿的羣星霎着眼，
玄湛的碧天板着臉；
心窩裏插着一把刀，
血從縫裏滲出來。
朦朧的月下，
却分明地看得出這是一把兩刃的尖刀。
刃邊各刻着兩個字：
一面是「理智」，
一面是「情感」。

中間更有一行篏字，寫道：

「撇了我罷，少年人！」

以上三篇都是讀灰色馬以後的感想，載入跋灰色馬譯本那一文中。

七月一日記。

（十八）

記七月十一夜之夢

玫瑰紅的夜，
鐘子在屋頂叫，
火光在天半燒，
愛的人在我懷中抱。
她底心這樣跳，
我底心那樣跳。
我們倆底血流而融，融而凝了：
我們只是一起跑。

我們戰慄着；
我們只是笑。

惺忪的眼半睜，朦朧的晨亦近了。
啊！鐘不見了，火不見了，
玫瑰紅的夜不見了。
燒着在的，搖曳的短燭罷？
響着在的，飄灑的急雨罷？
是的！
燭燄正在白紗的帳子外面跳，
雨點正在白鐵的簷頂上面躺，
愛的人仍在我懷中抱，
可是她已睡着了。

一九二三，七，十二。

以上在杭州作。

中華民國十三年四月出版

西還（全一冊）

每冊定價六角五分（外埠酌加郵費）

著者 俞平伯

發行者 上海五馬路棋盤街西首 亞東圖書館

印刷者 上海五馬路棋盤街西首 亞東圖書館

分售處 各省各大書店

陸志韋先生的新詩集

定價四角五分

上海亞東圖書館發行

宗白華先生的新詩集

流雲

定價二角五分

上海亞東圖書館發行

加新式標點符號分段的

三國演義

胡適之先生序
錢玄同先生序

『五百年來無數的失學國民從這部書裏得着了無數的常識與智慧，……學會了看書寫信作文的技能，……學得了做人與應世的本領。』（胡序）

洋裝二冊　定價兩元八角
平裝四冊　定價兩元二角

上海，亞東圖書館發行

加新式標點符號分段的

鏡花緣

有胡適之先生長一萬餘字的引論。引論裏有一段論這部書的價值說：

……他對于女子貞操，女子教育，女子選舉等等問題的見解，將來一定要在中國女權運動史上佔一個很光榮的位置

洋裝兩册　二元二角

平裝四册　一元六角

上海亞東圖書館印行

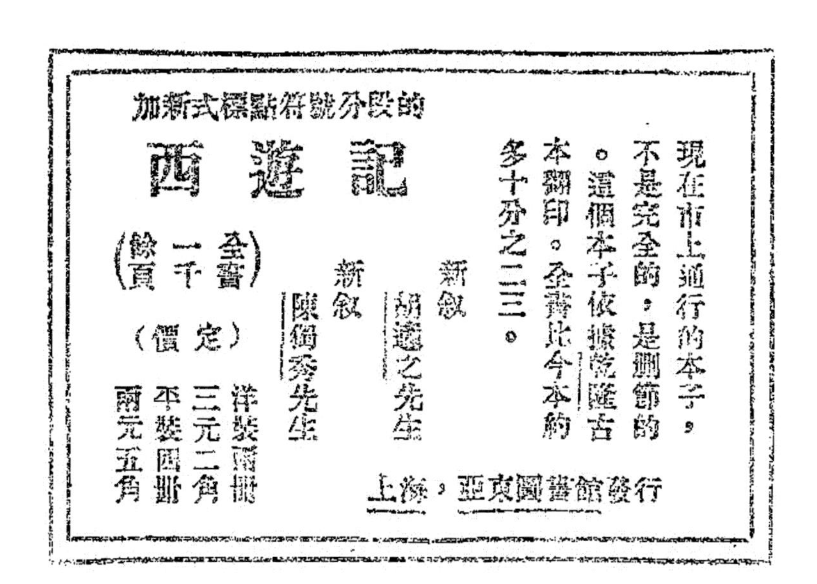
加新式標點符號分段的
西遊記
現在市上通行的本子，不是完全的，是刪節的。這個本子依據乾隆古本翻印。全書比今本約多十分之二三。
新敘 胡適之先生
新敘 陳獨秀先生
全書一千餘頁
（定價）
洋裝兩冊 三元二角
平裝四冊 兩元五角
上海，亞東圖書館發行

加標點符號分段的

水滸續集

胡適之先生序

本書是兩種最有價值的水滸續書的合刋本。第一種是征四寇，內容和七十囘本水滸傳銜接。第二種是水滸後傳，內容和征四寇銜接。雖是兩部書而事實是聯貫的。

定價 洋裝二冊二元三角
平裝四冊一元七角

上海亞東圖書館印行